小 猫 咪 咪

义务教育教科书

语文一年级上册
同 步 阅 读

人民教育出版社 课程教材研究所　　编著
小学语文课程教材研究开发中心

人民教育出版社
·北京·

图书在版编目（CIP）数据

义务教育教科书同步阅读．语文一年级．上册，小猫种鱼／人民教育出版社课程教材研究所小学语文课程教材研究开发中心编著．—2版．—北京：人民教育出版社，2017.7（2020.6重印）

ISBN 978-7-107-31840-5

Ⅰ．①义… Ⅱ．①人… Ⅲ．①阅读课—小学—教学参考资料 Ⅳ．① G624.233

中国版本图书馆 CIP 数据核字 (2017) 第 179692 号

义务教育教科书　语文　一年级　上册　同步阅读　小猫种鱼

出版发行　人民教育出版社
　　　　　（北京市海淀区中关村南大街 17 号院 1 号楼　邮编：100081）

网　　址　http://www.pep.com.cn
经　　销　全国新华书店
印　　刷　河南瑞之光印刷股份有限公司
版　　次　2017 年 7 月第 2 版
印　　次　2020 年 6 月第 19 次印刷
开　　本　890 毫米 × 1240 毫米　1/32
印　　张　4.5
字　　数　90 千字
定　　价　8.80 元

目 录

找 哇找哇找朋友，找到一个好朋友。
敬个礼，握握手，你是我的好朋友。

kāi xué le
开 学 了

kāi xué le　　kāi xué le
开 学 了，开 学 了，

bēi shū bāo　shàng xué xiào
背 书 包，上 学 校。

jiàn lǎo shī　xíng gè lǐ
见 老 师，行 个 礼，

jiàn tóng xué　wèn shēng hǎo
见 同 学，问 声 好。

做早操 zuò zǎo cāo

早上空气真叫好，
zǎo shàng kōng qì zhēn jiào hǎo

我们都来做早操。
wǒ men dōu lái zuò zǎo cāo

伸伸臂，弯弯腰，
shēn shēn bì wān wān yāo

踢踢腿，蹦蹦跳，
tī tī tuǐ bèng bèng tiào

天天锻炼身体好。
tiān tiān duàn liàn shēn tǐ hǎo

找 朋 友

zhǎo wa zhǎo wa zhǎo péng you
找 哇 找 哇 找 朋 友，

zhǎo dào yí gè hǎo péng you
找 到 一 个 好 朋 友。

jìng gè lǐ wò wo shǒu
敬 个 礼，握 握 手，

nǐ shì wǒ de hǎo péng you
你 是 我 的 好 朋 友。

míng nián hé nǐ yí yàng gāo
明 年 和 你 一 样 高

xiǎo zhú gān zhàn wū jiǎo
小 竹 竿 ，站 屋 角 。

dǐ xià dà shàng tou xiǎo
底 下 大 ，上 头 小 。

jīn nián bǐ wǒ gāo
今 年 比 我 高 ，

míng nián hé nǐ yí yàng gāo
明 年 和 你 一 样 高 。

liǎng tóu xiǎo xiàng
两 头 小 象

cháng ruì
常 瑞

liǎng tóu xiǎo xiàng hé biān zǒu
两 头 小 象 河 边 走，

yáng qǐ bí zi gōu yì gōu
扬 起 鼻 子 勾 一 勾，

jiù xiàng yí duì hǎo péng you
就 像 一 对 好 朋 友，

jiàn miàn hù xiāng wò wo shǒu
见 面 互 相 握 握 手。

石榴婆婆

林颂英

石榴婆婆，宝宝最多，

一个一个，满屋子坐。

哎哟，哎哟！小屋挤破。

过 桥

dīng qǔ
丁 曲

xiǎo tù zi guò qiáo bèng bèng tiào
小 兔 子 过 桥，蹦 蹦 跳；

xiǎo yā zi guò qiáo yáo ya yáo
小 鸭 子 过 桥，摇 呀 摇；

xiǎo páng xiè guò qiáo héng zhe pá
小 螃 蟹 过 桥，横 着 爬；

xiǎo dài shǔ guò qiáo mā ma bào
小 袋 鼠 过 桥，妈 妈 抱。

一去二三里

shào yōng
邵 雍

一去二三里，

烟村四五家。

亭台六七座，

八九十枝花。

七个妞妞来摘果

qī gè niū niu lái zhāi guǒ

一 二 三 四 五 六 七，
yī èr sān sì wǔ liù qī

七 六 五 四 三 二 一，
qī liù wǔ sì sān èr yī

七 个 妞 妞 来 摘 果，
qī gè niū niu lái zhāi guǒ

七 个 花 篮 手 中 提，
qī gè huā lán shǒu zhōng tí

七 个 果 子 摆 七 样，
qī gè guǒ zi bǎi qī yàng

苹 果、桃 子，
píng guǒ táo zi

石 榴、柿 子，
shí liu shì zi

李 子、栗 子、梨。
lǐ zi lì zi lí

量词歌

王晨湖

一头牛，两匹马，

三条鲤鱼四只鸭，

五本书，六支笔，

七棵果树八朵花，

九架飞机十辆车，

量词千万别说差。

月亮走我也走，我跟月亮提花篓，
一提提到园门口。

qiān niú huā
牵牛花

xiāng xióng
湘 雄

qiān niú huā　téng ér cháng
牵牛花，藤儿长，

pá shàng lí bā pá shàng fáng
爬上篱笆爬上房。

pá shàng fáng　chuī lǎ bā
爬上房，吹喇叭，

chuī chū yì lún hóng tài yáng
吹出一轮红太阳。

葡萄

丁 曲

葡萄藤，

爬得高，

爬到架上吹泡泡，

吹了一串又一串，

串串都是甜葡萄。

小星星

小星星，亮晶晶，

好像猫儿眨眼睛，

一个东，一个西，

东西南北分不清。

shā fā
沙发

lín liáng
林 良

rén jia dōu shuō
人家都说，

wǒ de mú yàng hǎo xiàng biǎo shì
我的模样好像表示

qǐng zuò qǐng zuò
"请坐请坐"。

qí shí bú shì
其实不是，

zhè shì yì zhǒng
这是一种

ràng wǒ bào bào nǐ de
"让我抱抱你"的

zī shì
姿势。

游戏

詹 冰

"小弟弟，我们来游戏。

姐姐当老师，

你当学生。"

"姐姐，那么，

小妹妹呢？"

"小妹妹太小了，

她什么也不会做。

我看——

让她当校长算了。"

shǒu
手

yáng chàng
杨 畅

zuǒ shǒu　yòu shǒu
左手，右手，

yí　gè　rén　liǎng zhī shǒu
一个人，两只手。

fàn qián fàn hòu xǐ xi shǒu
饭前饭后洗洗手，

shàng le　dà　jiē shǒu lā shǒu
上了大街手拉手，

kè　rén lái　le　wò wo shǒu
客人来了握握手，

zǒu shí zài jiàn bǎi bai shǒu
走时再见摆摆手。

shū shu ā　yí　yǎn jié mù
叔叔阿姨演节目，

gǔ zhǎng huān yíng pāi pai shǒu
鼓掌欢迎拍拍手。

xiǎo péng you　ài　xī shǒu
小朋友，爱惜手，

zhǎng dà láo dòng kào shuāng shǒu
长大劳动靠双手。

玉米演戏

林锦城

玉米娃娃，

演戏玩耍；

扮演竹笋，

穿上层层衣褂；

扮演石榴，

长着排排小牙；

扮演山羊，

挂了胡子一把。

月亮走

月亮走我也走，

我跟月亮提花篓，

一提提到园门口，

摘把苋菜摘把葱，

摘把辣椒满篮红，

摘把韭菜塞篮角，

摘个葫芦毛茸茸。

shén me měi
什么美

zhū jìn jié
朱晋杰

shén me měi
什么美？
mì fēng měi
蜜蜂美。
bù tān wán　bù tān shuì
不贪玩，不贪睡，
cóng xiǎo ài láo dòng
从小爱劳动，
cǎi mì bú pà lèi
采蜜不怕累。

shén me měi
什么美？
yáng shù měi
杨树美。
bù wān yāo　bù tuó bèi
不弯腰，不驼背，
shēn zi zhàn de zhèng
身子站得正，
dǎng zhù fēng shā chuī
挡住风沙吹。

蝴蝶，蝴蝶你找谁

金波

花蝴蝶，

多么美，

张开翅膀飞呀飞；

这里找，

那里找，

蝴蝶，蝴蝶你找谁？

黄花开，

白花开，

一朵更比一朵美；

zhè lǐ zhǎo
这 里 找，

nà lǐ zhǎo
那 里 找，

wǒ diū le yì duǒ hóng méi guī
我 丢 了 一 朵 红 玫 瑰。

nǐ kàn nà
你 看 那，

xiǎo mèi mei
小 妹 妹，

shì tā zhāi le hóng méi guī
是 她 摘 了 红 玫 瑰；

zhè yàng zuò
这 样 做，

kě bú duì
可 不 对，

dài zài tóu shàng yě bù měi
戴 在 头 上 也 不 美。

粗心的小画家

许浪

丁丁喜欢画图画，

红蓝铅笔一大把。

他对别人把口夸，

什么东西都会画。

画只螃蟹四条腿，

画只鸭子尖嘴巴，

画只小兔圆耳朵，

画匹马儿没尾巴。

哈哈哈，哈哈哈，

真是个粗心的小画家！

江南鱼米乡，
小小竹排画中游。

多吃蔬菜身体好

大萝卜，水灵灵。

小白菜，绿油油。

西红柿，像灯笼。

黄瓜一咬脆生生。

多吃蔬菜身体好，

结结实实少生病。

柿子

刘御

一盏小灯笼，

两盏小灯笼。

我家后院有棵树，

挂着许多小灯笼。

西风紧，

露水浓。

树叶片片落，

灯笼盏盏红。

爷爷前来收柿子，

笑脸照得红通通。

huā zǐ
花 籽

mǎ yún chāo
马 云 超

wǒ wǎng huā pén lǐ mái xià liǎng lì huā zǐ
我 往 花 盆 里 埋 下 两 粒 花 籽，

guò le jǐ tiān
过 了 几 天，

pǎo chū liǎng kē xiǎo cǎo
跑 出 两 棵 小 草。

wǒ shuō zhàn zhù
我 说：站 住！

nǐ huí qù shāo gè xìnr
你 回 去 捎 个 信 儿，

ràng huā duǒ lái xiàng wǒ bào dào
让 花 朵 来 向 我 报 到！

蘑菇

林良

蘑菇是
寂寞的小亭子。
只有雨天
青蛙才来躲雨。
晴天青蛙走了
亭子里冷冷清清。

小雨沙沙
xiǎo yǔ shā shā

xiǎo yǔ shā shā
小 雨 沙 沙，

xiǎo yǔ shā shā
小 雨 沙 沙，

lín zhōng de mó gu
林 中 的 蘑 菇，

chēng kāi le xiǎo sǎn yì bǎ bǎ
撑 开 了 小 伞 一 把 把。

tā men zhēn xiàng xiào mén kǒu de yì qún wá wa
它 们 真 像 校 门 口 的 一 群 娃 娃，

děng dài méi sǎn de xiǎo huǒ bàn
等 待 没 伞 的 小 伙 伴，

yí kuàir huí jiā
一 块 儿 回 家。

小溪流

xiǎo xī liú

刘 畅
liú chàng

小溪流，真顽皮，
xiǎo xī liú zhēn wán pí

它把山坡当滑梯；
tā bǎ shān pō dàng huá tī

一路唱，一路跳，
yí lù chàng yí lù tiào

哧溜一下滑下去；
chī liū yí xià huá xià qù

哈哈哈，嘻嘻嘻，
hā hā hā xī xī xī

扑进河妈妈的怀抱里。
pū jìn hé mā ma de huái bào lǐ

没长大的妈妈

江日

照片上有一个

没长大的妈妈，

扎着蝴蝶结，

戴着小绒花。

妈妈要是不长大，

那该多好啊！

手拉手儿去上学，

我俩都做乖娃娃。

xiǎo xiǎo zhú pái huà zhōng yóu
小 小 竹 排 画 中 游

xiǎo zhú pái　shùn shuǐ liú
小 竹 排，顺 水 流，

niǎo ér chàng　yú ér yóu
鸟 儿 唱，鱼 儿 游。

liǎng àn shù mù mì
两 岸 树 木 密，

hé miáo lǜ yóu yóu
禾 苗 绿 油 油。

jiāng nán yú mǐ xiāng
江 南 鱼 米 乡，

xiǎo xiǎo zhú pái huà zhōng yóu
小 小 竹 排 画 中 游。

哪座房子最漂亮

杨霞丹

一座房，两座房，

青青的瓦，白白的墙，

宽宽的门，大大的窗。

三座房，四座房，

房前花果香，

屋后树成行。

哪座房子最漂亮？

要数我们的小学堂。

热闹的菜市场

徐鲁

热闹的菜市场，
是蔬菜们聚会的地方。

金色的南瓜说：
我来自高高的山坡上；

弯弯的菱角说：
我从小生活在池塘；

紫色的茄子说：
我的家是明亮的暖房；

yuán yuán de mó gu shuō
圆 圆 的 蘑 菇 说：

yǔ tiān de xiǎo shù lín lǐ
雨 天 的 小 树 林 里，

shì wǒ men zhuō mí cáng de dì fang
是 我 们 捉 迷 藏 的 地 方 ……

运动会

廖弟华

动物王国彩旗飞，

正在举办运动会：

猴子秋千荡得高，

青蛙高台比跳水。

大象参加拔河赛，

斑马赛过飞毛腿。

鱼儿河里游得欢，

鸭子水中跳芭蕾。

个个都有真本领，

拿了奖牌得奖杯。

小熊过桥
xiǎo xióng guò qiáo

小竹桥，摇摇摇，
xiǎo zhú qiáo　yáo yáo yáo

有个小熊来过桥。
yǒu gè xiǎo xióng lái guò qiáo

走不稳，站不牢，
zǒu bù wěn　zhàn bù láo

走到桥上心乱跳。
zǒu dào qiáo shàng xīn luàn tiào

树上乌鸦哇哇叫，
shù shàng wū yā wā wā jiào

桥下流水哗哗笑。
qiáo xià liú shuǐ huā huā xiào

"妈妈，妈妈，快来呀！
mā ma　mā ma　kuài lái ya

快把小熊抱过桥！"
kuài bǎ xiǎo xióng bào guò qiáo

河里鲤鱼跳出来，
hé lǐ lǐ yú tiào chū lái

对着小熊大声叫：
duì zhe xiǎo xióng dà shēng jiào

xiǎo xióng　　xiǎo xióng bú yào pà
"小 熊，小 熊 不 要 怕，

yǎn jīng xiàng zhe qián miàn qiáo
眼 睛 向 着 前 面 瞧！"

yī èr sān　　xiàng qián pǎo
一 二 三，向 前 跑，

xiǎo xióng guò qiáo huí tóu xiào
小 熊 过 桥 回 头 笑，

lǐ yú lè de wěi ba yáo
鲤 鱼 乐 得 尾 巴 摇。

梨树挂起金黄的灯笼，苹果露出红红的脸颊，稻海翻起金色的波浪，高粱举起燃烧的火把。

秋叶飘飘

红色的蝴蝶，

黄色的小鸟，

在空中飞翔，

在风中舞蹈。

不是蝴蝶，不是小鸟，

是红叶舞，黄叶飘，

像秋姑娘发来的电报，

告诉我们秋天已经来到。

秋叶

qiū yè

余音

yú yīn

秋叶美，
qiū yè měi

扁又弯，
biǎn yòu wān

摘片秋叶当小船。
zhāi piàn qiū yè dàng xiǎo chuán

红的船，
hóng de chuán

黄的船，
huáng de chuán

五颜六色映蓝天。
wǔ yán liù sè yìng lán tiān

水中行，
shuǐ zhōng xíng

浪里钻，
làng lǐ zuān

hǎo sì fán xīng liàng shǎn shǎn
好似繁星亮闪闪。

fēng ér chuī
风儿吹，

niǎo ér huān
鸟儿欢，

chéng zuò xiǎo chuán qù yóu lǎn
乘坐小船去游览。

小猫种鱼
xiǎo māo zhòng yú

　　农民把玉米种在地里，到
了秋天，收了很多玉米。

　　农民把花生种在地里，到
了秋天，收了很多花生。

　　小猫看见了，把小鱼种在
地里。他想，到了秋天，一定
会收到很多小鱼呢！

爷爷和小树

李昆纯

我家门口有一棵小树。

冬天到了，爷爷给小树穿上暖和的衣裳。小树不冷了。

夏天到了，小树给爷爷撑开绿色的小伞。爷爷不热了。

秋天的图画

秋天来啦，秋天来啦，山野就是美丽的图画。梨树挂起金黄的灯笼，苹果露出红红的脸颊，稻海翻起金色的波浪，高粱举起燃烧的火把。谁使秋天这样美丽？看，蓝天上的大雁做出了回答，它们排成一个大大的"人"字，好像在说——

勤劳的人们画出秋天的图画。

冬天，在小河边

陈秋影

冬天，我们又来到小河边。河上，结着一层薄冰，像一扇很大很大的玻璃窗。

夏天，那些呱呱叫的小青蛙们，现在哪里去了？噢，它们正躲在河边的泥土里，沉沉地睡着，度过整个冬天。

夏天，那些在河面上吐泡泡的小鱼，现在哪里去了？噢，它们全都聚在小河的水底，有时游上来，透过"玻璃窗"，向外张望，想和我们游戏玩耍。

秋天，那些绿的、黄的、红的树叶，现在哪里去了？快看看河面上的冰吧，这里冻住了绿的、黄的、红的树叶，这里有美丽的秋天。

哪儿去了

李少白

春娃娃的花篮哪儿去了？
夏哥哥的绿叶儿遮住了。

夏哥哥的绿叶儿哪儿去了？
秋姐姐借去做地毯了。

秋姐姐的地毯哪儿去了？
冬爷爷的白被子盖住了。

冬爷爷的白被子哪儿去了？
装进春娃娃的花篮里了。

四季歌

周玉安

春天是一棵小树，

小树吐出嫩绿的芽芽。

芽芽对太阳说：

妈妈，妈妈，

我要长叶，

我要开花。

夏天是一朵小花，

小花对太阳说：

妈妈，妈妈，

wǒ yào jiē guǒ
我要结果，

wǒ yào zhǎng dà
我要长大。

qiū tiān shì yì méi hóng guǒ
秋天是一枚红果，

hóng guǒ duì tài yáng shuō
红果对太阳说：

mā ma mā ma
妈妈，妈妈，

wǒ yào chéng shú
我要成熟，

wǒ yào huí jiā
我要回家。

dōng tiān shì yí piàn bái xuě
冬天是一片白雪，

bái xuě shàng xiù zhe měi lì de tóng huà
白雪上绣着美丽的童话。

bái xuě gōng zhǔ duì tài yáng shuō
白雪公主对太阳说：

mā ma mā ma
妈妈，妈妈，

wǒ yào yǒng yuǎn jié bái
我 要 永 远 洁 白,

wǒ yào yǒng yuǎn bú huà
我 要 永 远 不 化。

秋天的信

林武宪

秋天要给大家写信，

用叶子做信纸，

请风当邮差，

邮差想偷懒，

到一个地方，

就把信一抛——

有的落在松鼠头上，

有的掉在青蛙身旁，

赶路的大雁，也衔了一封

回家。

chí táng lǐ　cǎo cóng zhōng
池 塘 里，草 丛 中，

dào chù dōu shì qiū tiān de xìn
到 处 都 是 秋 天 的 信，

xiǎo dòng wù men zhǔn bèi guò dōng la
小 动 物 们 准 备 过 冬 啦。

种 窗 帘

胡 木 仁

妈妈叫陶陶去买窗帘，陶陶
买回了两个花盆。

陶陶把花盆放在窗台上，种
上了几颗种子。

种子发芽了，长出嫩嫩的
绿芽。

嫩芽长高了，变成绿绿的藤。

绿藤爬满了窗户，窗户上
挂上了绿色的窗帘。

慢慢地，绿藤上开出一朵朵

小花：红的、白的、黄的、蓝的……
五颜六色，芳香扑鼻。

蝴蝶飞来跳舞，蜜蜂飞来唱歌，连阳光也驻足在这里，不忍离去……

绿窗帘又变成花窗帘啦！

呼呼呼，秋风来了。藤黄了，叶黄了，果黄了，金黄金黄，闪亮闪亮。

哦，金色的窗帘！

妈妈笑了。陶陶想：芳芳家的窗帘是买的；娟娟家的窗帘是编的；我家的窗帘呢，是种的。

朋友，再见

秋风吹来，黄叶落了一地。

小燕子来向小松鼠告别："朋友，再见吧！我要到南方去过冬了。那里暖和，虫子又多。"

小松鼠说："你走了，谁和我玩呢？"小燕子安慰他说："别难过，明年春天我就回来。"

小松鼠送走朋友，在湖边遇到了小青蛙。他说："小青蛙，咱俩玩一会儿吧！"小青蛙摇摇头说：

"天冷了，我得钻进湖边的烂泥里，睡他一冬天！"小松鼠说："什么？睡一冬天？你不饿吗？"小青蛙拍拍大肚皮说："你看，我身体里贮存了好多养分，不会饿的。小松鼠，再见吧！"小青蛙说完，就蹦跳着寻找冬眠的地方去了。

笃笃笃，啄木鸟正在给一棵大树治病。小松鼠问他："朋友，你不到南方过冬吗？"啄木鸟说："我翅膀短，飞不了那么远。"小松鼠又问："你不像青蛙那样冬眠吗？"啄木鸟笑起来，说："青蛙冬眠，是因为怕冷。我可不怕冷。冬天，我也要出来工作，有些害虫藏在树木里过冬，我要消灭他们！"

小松鼠回到家，也不再贪玩了。他帮助妈妈把采来的蘑菇晾在树枝上，把松果埋进土里，准备冬天吃。

萤火虫，点灯笼，
飞到西，飞到东。
萤火虫，萤火虫，
何不飞上天，做个星星挂天空。

tài yáng dì qiú yuè liang
太阳 地球 月亮

tài yáng dà dì qiú xiǎo
太阳大，地球小，

dì qiú rào zhe tài yáng pǎo
地球绕着太阳跑。

dì qiú dà yuè liang xiǎo
地球大，月亮小，

yuè liang rào zhe dì qiú pǎo
月亮绕着地球跑。

问答歌

shén me wān wān wān shàng tiān
什么弯弯弯上天？

yuè liang wān wān wān shàng tiān
月亮弯弯弯上天。

shén me wān wān zài shuǐ biān
什么弯弯在水边？

chuán ér wān wān zài shuǐ biān
船儿弯弯在水边。

shén me yuán yuán yuán shàng tiān
什么圆圆圆上天？

hóng rì yuán yuán yuán shàng tiān
红日圆圆圆上天。

shén me yuán yuán shuǐ zhōng jiān
什么圆圆水中间？

hé yè yuán yuán shuǐ zhōng jiān
荷叶圆圆水中间。

萤火虫

叶圣陶

萤火虫，点灯笼，
飞到西，飞到东。
飞到河边上，小鱼在做梦。
飞到树林里，小鸟睡正浓。
飞过张家墙，张家姊妹忙
裁缝。
飞过李家墙，李家哥哥做夜工。
萤火虫，萤火虫，
何不飞上天，
做个星星挂天空。

谜语二则

（一）

yǒu shí wān wān xiàng tiáo chuán
有时弯弯像条船，

yǒu shí yuán yuán xiàng zhī pán
有时圆圆像只盘。

bái tiān duǒ qǐ lái
白天躲起来，

wǎn shàng kàn de jiàn
晚上看得见。

（二）

yì gēn téng ér wān yòu wān
一根藤儿弯又弯，

guà zhe zhēn zhū yí chuàn chuàn
挂着珍珠一串串，

yǒu zǐ yǒu lù zhēn hǎo kàn
有紫有绿真好看，

shú de tián lái shēng de suān
熟的甜来生的酸。

对 歌

shén me rén bù chī fàn
什么人不吃饭？

shén me zào bú yòng huǒ
什么灶不用火？

shén me jī qì suàn de kuài
什么机器算得快？

shén me chuán cóng tài kōng guò
什么船从太空过？

jī qì rén bù chī fàn
机器人不吃饭。

tài yáng zào bú yòng huǒ
太阳灶不用火。

jì suàn jī suàn de kuài
计算机算得快。

yǔ zhòu fēi chuán cóng tài kōng guò
宇宙飞船从太空过。

老鼠开门笑呵呵

天上星，

地下钉，

叮叮铛铛挂油瓶。

油瓶破，

两半个，

猪衔草，

狗牵磨，

猴子挑水井上坐，

鸡淘米，

猫烧锅，

老鼠开门笑呵呵。

tóng huà xiǎo shī yí shù
童话小诗一束

zhāng jì lóu
张继楼

shī zi
狮子

kàn nǐ zhè yì tóu luàn fà bù shū yě bù xǐ
看你这一头乱发不梳也不洗，

lǎo shī jiàn le kěn dìng yào shuō nǐ
老师见了肯定要说你。

bān mǎ
斑马

lǎo shì chuān zhe zhè jiàn hǎi hún shān
老是穿着这件海魂衫，

cóng méi jiàn nǐ xǐ hé huàn
从没见你洗和换，

nǐ zhè gè shuǐ bīng zhēn lā ta
你这个水兵真邋遢。

金钱豹

为啥把一枚枚硬币都贴在
身上，

求妈妈买一个存钱罐该有
多好。

小袋鼠

你妈妈为你想得真周到，

往后上学就不用再买书包。

爱祖国

我们爱自己的祖国。

小白鹅说:"祖国有清清的小河。"

小山羊说:"祖国有长满青草的山坡。"

小燕子说:"祖国有温暖的泥窝。"

小蜜蜂说:"祖国有甜甜的花朵。"

小朋友说:"祖国地大物产多,我们的生活幸福快乐。"

最亮最亮五颗星

金波

一颗星，

两颗星，

天上星星亮晶晶。

三颗星，

四颗星，

颗颗星星眨眼睛。

眨眼睛，

望北京，

北京城里放光明。

天安门，

国旗升，

最亮最亮五颗星！

我 和 叔 叔 上 飞 船

曾 祥 书

我 和 叔 叔 上 飞 船,

船 儿 游 在 宇 宙 间。

我 向 太 阳 问 声 早,

太 阳 公 公 好 喜 欢。

我 和 月 亮 握 握 手,

月 亮 姐 姐 笑 开 颜。

我 与 星 星 说 再 见,

星 星 闪 闪 忙 向 前。

星 星 星 星 你 别 走,

这 里 就 是 你 家 园。

我坐上了飞船

梦里，我坐上了飞船，飞向太空。啊！我看见了地球，有高山，有平原，还有岛屿和海洋。

啊！我看见了中国，有长江，有黄河，还有万里长城。

调皮的太阳挂在空中睡午觉，
温暖着小朋友的梦。

xuě huā
雪 花

bái sè huā　wú rén zāi
白 色 花，无 人 栽，

yí yè běi fēng biàn dì kāi
一 夜 北 风 遍 地 开。

wú gēn wú zhī yě wú yè
无 根 无 枝 也 无 叶，

bù zhī shì shuí sòng huā lái
不 知 是 谁 送 花 来。

星星
xīng xing

zhāng xué yì
张 学 义

wǎn shang
晚 上 ，

wǒ kàn xīng xing de shí hou
我 看 星 星 的 时 候 ，

xīng xing yě zài zhǎ zhe yǎn jīng
星 星 也 在 眨 着 眼 睛 ，

kàn wǒ
看 我 。

wǒ xiǎng
我 想 ，

rú guǒ xīng xing kàn wǒ
如 果 星 星 看 我 ，

yí dìng huì bǎ wǒ de yǎn jīng
一 定 会 把 我 的 眼 睛 ，

dàng zuò liǎng kē
当 作 两 颗

shǎn shuò de xiǎo xīng xing
闪 烁 的 小 星 星 ……

下雨谁高兴

盖尚铎

下小雨，

谁高兴？

满山蘑菇最高兴，

举把花伞把雨迎。

下小雨，

谁高兴？

山间小溪最高兴，

哗啦哗啦去远行。

yǔ tíng lā
雨停啦，

shuí gāo xìng
谁高兴？

hé biān qīng wā zuì gāo xìng
河边青蛙最高兴，

guā guā guā guā lè gǔ míng
呱呱呱呱乐鼓鸣。

谁 的 耳 朵

唐 鲁 峰

谁 的 耳 朵 长，

谁 的 耳 朵 短，

谁 的 耳 朵 遮 着 脸？

驴 的 耳 朵 长，

马 的 耳 朵 短，

象 的 耳 朵 遮 着 脸。

谁 的 耳 朵 尖，

谁 的 耳 朵 圆，

shuí de ěr duo tīng de yuǎn
谁 的 耳 朵 听 得 远？

māo de ěr duo jiān
猫 的 耳 朵 尖，

hóu de ěr duo yuán
猴 的 耳 朵 圆，

gǒu de ěr duo tīng de yuǎn
狗 的 耳 朵 听 得 远。

多好玩
duō hǎo wán

杜 虹
dù hóng

鱼儿只能在水里游吗？
yú ér zhǐ néng zài shuǐ lǐ yóu ma

鸟儿只能在天上飞吗？
niǎo ér zhǐ néng zài tiān shàng fēi ma

我只能在地上跑吗？
wǒ zhǐ néng zài dì shàng pǎo ma

要是交换一下多好玩：
yào shì jiāo huàn yí xià duō hǎo wán

鱼儿在地上竖起尾巴蹦蹦跳，
yú ér zài dì shàng shù qǐ wěi ba bèng bèng tiào

鸟儿在水里撵着小虾转圈圈，
niǎo ér zài shuǐ lǐ niǎn zhe xiǎo xiā zhuàn quān quan

我在空中飞来飞去，
wǒ zài kōng zhōng fēi lái fēi qù

摘着五颜六色的云片……
zhāi zhe wǔ yán liù sè de yún piàn

太阳的颜色

望安

小黄鹂说:"太阳是黄色的。喏,染黄了我的翅膀。"

大苹果说:"太阳是红色的。喏,染红了我的脸蛋。"

一天,雨过天晴,太阳照在天空的小水珠上,变幻出一道道弯弯的彩虹,挂在天边。

小黄鹂、大苹果激动地欢呼起来:

"红、橙、黄、绿、青、蓝、紫。

duō měi de cǎi hóng a　yuán lái tài yáng yǒu zhè me
多 美 的 彩 虹 啊！ 原 来 太 阳 有 这 么

duō de yán sè ya
多 的 颜 色 呀！"

调皮的太阳

韶山

调皮的太阳来到屋子里,掀开被子,催小朋友早早起床。

调皮的太阳来到田野里,使足劲儿把庄稼往高处拔。

调皮的太阳来到果园里,掏出画笔把苹果涂成红的,把梨子涂成黄的……

调皮的太阳挂在空中睡午觉,温暖着小朋友的梦。

调皮的太阳躲进乌云捉迷藏,

huāng de mā ma gǎn jǐn bǎ bèi zi shōu jìn wū
慌 得 妈 妈 赶 紧 把 被 子 收 进 屋

zi lǐ
子 里。

tiáo pí de tài yáng wán lèi le hóng zhe liǎn duǒ
调 皮 的 太 阳 玩 累 了，红 着 脸 躲

jìn xī shān mā ma de huái lǐ
进 西 山 妈 妈 的 怀 里。

自己去吧

李少白

小鸭说："妈妈，您带我去游泳好吗？"妈妈说："小溪的水不深，自己去游吧。"过了几天，小鸭学会了游泳。

小鹰说："妈妈，我想去山那边看看，您带我去好吗？"妈妈说："山那边风景很美，自己去看吧。"过了几天，小鹰学会了飞翔。

口袋里的爸爸妈妈

周 锐

　　小袋鼠采了许多鲜艳的花，插在她的小口袋里，带回家给妈妈看。妈妈说："真好看！"

　　小袋鼠挺高兴，问妈妈："我肚子上的小口袋，就是用来插花的吧？"

　　妈妈笑了："不光能插花。以后你长大了，要用这个口袋装你的小宝宝。"

　　"小宝宝自己不会走路吗？"

“不会，就像你小时候一样。”

小袋鼠想了想，又问：“我的小

口袋会长大吗?”

“当然会。”妈妈说，“会跟你一

起长大。”

小袋鼠歪着脑袋，眨眨眼睛，认

真地说：“那太好了。等爸爸妈妈

老了，走不动了，我就把你们 装

到我的大口袋里!”

云朵和孩子

[美]洛贝尔 朱自强 译

小老鼠和妈妈一起去散步。

两个人走上一座山岗，望着天空。

"你看!"妈妈说，"云朵看起来像一些东西。"

两个人在云朵里看到了好多东西的形状，有城堡、兔子，还有老鼠。

"我去采花了。"

妈妈说。

“我在这里看云朵。”

小老鼠说。

小老鼠看着天上一块很大的云朵。那块云朵变得越来越大。

云朵变成了一只猫。

这只猫飞快地向小老鼠扑来。

“救命啊!”

小老鼠喊了起来,一溜烟朝妈妈那儿跑去。

“天空中有一只好大的猫!”

小老鼠喊道,

“太可怕了!”

于是,妈妈抬头望望天上。

yòng bù zháo hài pà la
"用不着害怕啦。"

mā ma shuō
妈妈说，

nǐ kàn mmāo yòu biàn chéng le yún duǒ
"你看，猫又变成了云朵。"

guǒ rán xiàng mā ma shuō de nà yàng xiǎo lǎo shǔ
果然像妈妈说的那样。小老鼠

fàng xīn le dī tóu qù bāng mā ma cǎi huā
放心了，低头去帮妈妈采花。

bú guò nà tiān xiǎo lǎo shǔ zài méi yǒu tái tóu
不过，那天，小老鼠再没有抬头

wàng xiàng tiān kōng
望 向 天 空。

大大小小的鞋，就像大大小小的船，
回到安静的港湾，享受家的温暖。

三个小学生

哗哗哗，水龙头没关好，自来水不停地流着。

小文看了看，走开了。东东大声说："啊，是谁没把水龙头关好？我去告诉老师！"明明什么也没说，他走过去，关好了水龙头。

老公公

圣野

新年到了，学校开联欢会。

幕拉开了，出来一位老公公，

白胡子，白眉毛，拱拱手，弯弯腰，

祝福大家新年好。

台下的同学们齐声叫好，欢

迎老公公演节目。

老公公说："好呀，看我骑马追

小兔……"

老公公抬脚上马刚起步，脚

一滑，摔了跤，胡子眉毛全摔掉。

抬头亮个相，呀，老公公原来是我们班的李小明，逗得大家哈哈笑。

大皮靴

班马

我埋怨自己那双小皮鞋,走路时为什么发不出那种嘎吱、嘎吱的响声。

我多么想有一双真正的大皮靴!

嘿,嘎吱、嘎吱的——
踩在小木屋的地板上,
踩在白雪皑皑的山峰上,
踩在开满小花的大草原上……
我偷偷地套上爸爸的那双大

<ruby>皮<rt>pí</rt></ruby><ruby>靴<rt>xuē</rt></ruby>，<ruby>在<rt>zài</rt></ruby><ruby>太<rt>tài</rt></ruby><ruby>阳<rt>yáng</rt></ruby><ruby>底<rt>dǐ</rt></ruby><ruby>下<rt>xià</rt></ruby><ruby>走<rt>zǒu</rt></ruby><ruby>来<rt>lái</rt></ruby><ruby>走<rt>zǒu</rt></ruby><ruby>去<rt>qù</rt></ruby>。<ruby>可<rt>kě</rt></ruby><ruby>惜<rt>xī</rt></ruby>，<ruby>它<rt>tā</rt></ruby><ruby>不<rt>bú</rt></ruby><ruby>是<rt>shì</rt></ruby><ruby>嘎<rt>gā</rt></ruby><ruby>吱<rt>zhī</rt></ruby>、<ruby>嘎<rt>gā</rt></ruby><ruby>吱<rt>zhī</rt></ruby><ruby>的<rt>de</rt></ruby>，<ruby>而<rt>ér</rt></ruby><ruby>是<rt>shì</rt></ruby><ruby>扑<rt>pū</rt></ruby><ruby>通<rt>tōng</rt></ruby>、<ruby>扑<rt>pū</rt></ruby><ruby>通<rt>tōng</rt></ruby><ruby>的<rt>de</rt></ruby>。

鞋
xié

林武宪
lín wǔ xiàn

我回家，把鞋脱下，
wǒ huí jiā bǎ xié tuō xià

爸爸妈妈回家，把鞋脱下，
bà ba mā ma huí jiā bǎ xié tuō xià

爷爷奶奶回家，
yé ye nǎi nai huí jiā

也都把鞋脱下。
yě dōu bǎ xié tuō xià

大大小小的鞋，
dà dà xiǎo xiǎo de xié

像是一家人，
xiàng shì yì jiā rén

依偎在一起，
yī wēi zài yì qǐ

说着一天的见闻。
shuō zhe yì tiān de jiàn wén

大大小小的鞋，
dà dà xiǎo xiǎo de xié

jiù xiàng dà dà xiǎo xiǎo de chuán
就 像 大 大 小 小 的 船 ，

huí dào ān jìng de gǎng wān
回 到 安 静 的 港 湾 ，

xiǎng shòu jiā de wēn nuǎn
享 受 家 的 温 暖 。

会飞的图画

吴然

爸爸来信了！

小明听妈妈说，爸爸在很远的地方。小明想爸爸的时候，总盼望收到爸爸的信。他喜欢听妈妈念信。爸爸在信上告诉他许多有趣的事情。

小明发现，每个信封上，都贴着一张小小的图画。有长城，有飞船，有小马，有小花，还有打乒乓球的叔叔阿姨……妈妈告诉小明，这是邮票，贴上邮票，就可以把信寄到很远的地方。

"哦，邮票是会飞的图画吗?"

小明攒了很多邮票，也画了很多"邮票"。他想象着，那些贴上"图画"的信，正飞向爸爸，飞向四面八方的小朋友。

xīn
心

rì jīn zǐ měi líng
[日] 金 子 美 玲

mā ma shì gè dà rén
妈 妈 是 个 大 人，

lǎo dà lǎo dà de
老 大，老 大 的。

kě shì tā de xīn
可 是 她 的 心，

què hěn xiǎo hěn xiǎo
却 很 小 很 小。

yīn wèi mā ma shuō
因 为 妈 妈 说，

zài tā de xīn lǐ
在 她 的 心 里，

zhuāng jìn le yí gè xiǎo xiǎo de wǒ
装 进 了 一 个 小 小 的 我，

jiù zài zhuāng bú xià rèn hé dōng xi
就 再 装 不 下 任 何 东 西。

wǒ hái shì gè hái zi
我 还 是 个 孩 子，

hěn xiǎo hěn xiǎo de
很 小 , 很 小 的 。

kě shì wǒ de xīn
可 是 我 的 心 ,

què hǎo dà hǎo dà
却 好 大 好 大 。

yīn wèi zài wǒ de xīn lǐ
因 为 在 我 的 心 里 ,

zhuāng jìn le yí gè dà dà de mā ma
装 进 了 一 个 大 大 的 妈 妈 ,

què hái yǒu hěn duō hěn duō de dōng xi
却 还 有 很 多 很 多 的 东 西 ,

yào wǒ qù kǎo lǜ
要 我 去 考 虑 。

妈妈的头发

[美] 桑德拉·希斯内罗丝 潘帕 译

我们家里每个人的头发都不一样。爸爸的头发像扫把,根根直立往上插。而我,我的头发挺懒惰,它从来不听发夹和发带的话。卡洛斯的头发又直又厚,从来都用不着梳头。蕾妮的头发滑滑的——会从你手里溜走。还有奇奇,他最小,茸茸的头发摸起来像小猫的背。

只有妈妈的头发,妈妈的头发,

好像一朵朵小小的玫瑰花，一枚枚小小的糖果圈，全都那么卷曲，那么漂亮，因为她成天给它们上发卷。当她搂着你时，把鼻子伸过去闻一闻吧，气味那么香甜，你会觉得好安全，好温暖。那种味道，像是待烤的面包暖暖的香味，又像是妈妈给你让出一角被窝时，伴着体温散发的芬芳。你睡在她身旁，外面下着雨，爸爸打着鼾。哦，鼾声，雨声，还有妈妈那闻起来像面包的头发。

借光读书

借 光 读 书

古时候，有个人叫匡衡。他小

时候家里很穷，连点灯的油也买

不起。

他很爱学习。每到晚上，因为

没油点灯，心里很苦恼。他的邻居

是一家财主，夜晚经常灯火通

明。一天，匡衡突然想出一个办

法。他悄悄地在墙上凿了一个小

洞，让邻居家的灯光从小洞口

射过来。他拿书在洞口一试，果然

kàn qīng le shū shàng de zì
看 清 了 书 上 的 字。

yú shì kuāng héng jiù kào jìn dòng kǒu jiè zhe
于 是，匡 衡 就 靠 近 洞 口，借 着

dēng guāng dú qǐ shū lái tā jiù shì zhè yàng kè kǔ
灯 光 读 起 书 来。他 就 是 这 样 刻 苦

xué xí cóng méi yǒu jiàn duàn
学 习，从 没 有 间 断。

kuāng héng qín fèn dú shū zhōng yú chéng le yí
匡 衡 勤 奋 读 书，终 于 成 了 一

wèi hěn yǒu xué wèn de rén
位 很 有 学 问 的 人。

一把筷子

从前，有几兄弟，常常吵架。

一天，父亲把他们叫到跟前，拿出一把筷子，说：“你们谁能把这把筷子折断？”

几兄弟都折了折，谁也折不断。

父亲把这把筷子拆散了，分给每人一根，叫他们再折。这次，他们一折就断了。

父亲说：“你们看，一把筷子多

结实，折不断。一根筷子很容易就折断了。以后，你们不要吵了，团结起来才会有力量。"

狼来了

有个孩子，在山上放羊。

有一天，他大声喊："狼来了！狼来了！"

山下的人听见了，赶快跑上山来。他们问孩子："狼在哪儿？狼在哪儿？"

孩子笑了。他说："没有狼，没有狼，是我说着玩呢。"

过了一天，狼真的来了。孩子又大声喊："狼来了！狼来了！"山下

de rén tīng jiàn le shuō zhè hái zi yòu zài shuō
的人听见了，说："这孩子又在说

huǎng le bié lǐ tā
谎了，别理他！"

láng diāo zǒu le yì zhī yáng
狼叼走了一只羊。

fàng yáng de hái zi kū le
放羊的孩子哭了。

做一张桌子，
需要一朵花。

小小竹叶

钱万成

小小竹叶两头尖，

蚂蚁抬去当小船，

小船放到小溪里，

漂漂摇摇划出山。

小小竹叶鲜又鲜，

熊猫摘去当饼干，

吃了一片又一片，

细嚼慢咽真香甜。

xiǎo xiǎo zhú yè xì yòu biǎn
小 小 竹 叶 细 又 扁，

wá wa shí qù dàng shū qiān
娃 娃 拾 去 当 书 签，

shū qiān jiá zài shū yè lǐ
书 签 夹 在 书 页 里，

gù shì zǒng yě dú bù wán
故 事 总 也 读 不 完。

一次比一次有进步

方崇智

菜园里，冬瓜躺在地上，茄子挂在枝上。

屋檐下，燕子妈妈对小燕子说："你到菜园里去，看看冬瓜和茄子有什么不一样？"小燕子去了，回来说："妈妈，妈妈，冬瓜大，茄子小！"

燕子妈妈说："你说得对。你能不能再去看看，还有什么不一样？"小燕子又去了，回来说："妈妈，妈妈，冬瓜是绿的，茄子是紫的!"

燕子妈妈点点头说:"很好。可是,你能不能再去仔细看看,它们还有什么不一样?"小燕子又去了,回来高兴地说:"妈妈,妈妈,我发现冬瓜的皮上有细毛,茄子的柄上有小刺!"燕子妈妈笑了,说:"你一次比一次有进步!"

小熊住山洞

胡木仁

小熊一家住在山洞里。

熊爸爸对小熊说："我们去砍些树，造一间木头房子住。"

春天，他们走进森林。树上长满了绿叶，小熊舍不得砍。

夏天，他们走进森林。树上开满了花儿，小熊舍不得砍。

秋天，他们走进森林。树上结满了果子，小熊舍不得砍。

冬天，他们走进森林。树上有

许多鸟儿，小熊舍不得砍。

一年又一年，他们没有砍树造房子，一直住在山洞里。

森林里的动物们都很感激小熊一家，给他们送来一束束美丽的鲜花。

下雪了

冯幽君

纷纷扬扬的小雪花，从高高的天上，自由自在地轻轻飘落下来……

我们仰着脸，不住地挥动小手，欢迎小雪花到地上来做客。

于是，树变白了，屋顶变白了，山变白了，小黑狗变成了小白狗，那蹦蹦跳跳的小伙伴，变成了蹦蹦跳跳的小雪人。

啊，多有趣呀！无数片小雪花，给了我们一个童话般的世界。

地球爷爷的手

小猴和小兔是好朋友。

一天，他俩在树下玩，跳啊，唱啊，真高兴！玩了一会儿，小猴说："小兔，我请你吃桃子吧。"

是啊，树上的桃子又大又红，一定很好吃。

小猴对正在树上的猴爸爸说："爸爸，请您给我们摘几个桃子，好吗？"

猴爸爸还没有回答，也没有动

手，只见几个桃子自己从树上掉
了下来。

小兔说："猴伯伯，谢谢您！"

猴爸爸笑着说："别谢我，这是
地球爷爷帮的忙。"

小猴觉得很奇怪："地球爷爷
怎么帮忙啊？"

小兔也说："是呀，地球爷爷怎
么能帮忙呢？他又没有手。"

地球爷爷说话了："不，我有
手，而且有很大很大的力气，能让
成熟的桃子掉下来，能让踢到半
空的足球掉下来……我的手，就是

nǐ men kàn bú jiàn de dì xīn yǐn lì
你们看不见的地心引力。"

dì qiú yé ye de huà gāng shuō wán jǐ gè táo
地球爷爷的话刚说完，几个桃

zi yòu cóng shù shàng diào le xià lái
子又从树上掉了下来。

脸上的小红花

程逸汝

窗帘拉开了。我看到窗外飘着雪花，远处的电线杆、房屋，近处的树木、街道，全都白了。

我背着书包，顶风冒雪上学校。北风呼呼吹，好像在问："冷吗？"我呵口热气，说："冷，可我不怕！"雪花轻轻飘，好像在问："滑吗？"我加快脚步，说："要是滑倒，爬起来再跑！"

我走到校门口，看到老师，忙

说：“老师早！”老师摸摸我红红的
脸颊，笑了：“啊！你的脸上开了两
朵小红花。”

需要什么

yì jiǎ ní · luó dà lǐ

[意] 贾尼 · 罗大里

zuò yì zhāng zhuō zi
做 一 张 桌 子，

xū yào mù tou
需 要 木 头。

mù tou cóng nǎ lǐ lái
木 头 从 哪 里 来？

xū yào dà shù
需 要 大 树。

dà shù cóng nǎ lǐ lái
大 树 从 哪 里 来？

xū yào zhǒng zi
需 要 种 子。

zhǒng zi cóng nǎ lǐ lái
种 子 从 哪 里 来？

xū yào guǒ shí
需要果实。

guǒ shí cóng nǎ lǐ lái
果实从哪里来？

xū yào huā duǒ
需要花朵。

zuò yì zhāng zhuō zi
做一张桌子，

xū yào yì duǒ huā
需要一朵花。

祝你生日快乐

[美] 法兰克·艾许 任霞苓 译

有只小熊，明天过生日。它忽然想起来，该去问问月亮——什么时候过生日。晚上，月亮出来了。小熊爬上树，对月亮叫："喂！"月亮不回答，小熊想：我离月亮太远了，它听不见。

小熊就走到山里。它爬到一座最高的山上。现在，离月亮近些了。它对月亮叫："喂！"远远传来一声："喂！"小熊想：月亮听见了，它在回答我呢！

"你好！"小熊说。"你好！"月亮回答。

"你什么时候过生日？"小熊问。"你什么时候过生日？"月亮也问小熊。小熊说："我明天过生日！"月亮也说："我明天过生日！"

"你要什么礼物？"小熊问。"你要什么礼物？"月亮问。

"我要一顶帽子！"小熊回答。"我要一顶帽子！"月亮回答。

"好的。"小熊说。"好的。"月亮说。

第二天，小熊到店里给月亮买了一顶最好看的帽子。晚上，月亮又升起来了，它正好停在小熊家门前的树上。小熊爬上树，把帽子给月亮戴好，就去睡觉了。一阵风吹来，帽子落到了地上。

早晨，小熊开门，看见门口有一顶漂亮的帽子。"哦，这准是月亮给我的礼物，它知道我也想要一顶帽子的。"小熊这么想着，把帽子戴在自己的头上，就出去玩了。

一阵大风吹来，把小熊的帽

子吹到了小河里，沉下去了。小熊很难过。

晚上，它又到山里去了。它站在老地方，对月亮说："对不起，我把你送给我的帽子弄丢了。"

"对不起，我把你送给我的帽子弄丢了。"月亮也说。

小熊说："不要紧，我还是爱你。"月亮也说："不要紧，我还是爱你。"

"祝你生日快乐！"小熊说。

"祝你生日快乐！"小熊听着月亮的祝福，高高兴兴地回家了。

玻璃不见了
bō li bú jiàn le

xiǎo bái tù zhòng le yì xiē luó bo gèr
小白兔种了一些萝卜,个儿

zhǎng de zhēn dà tā gāo xìng jí le xiǎo bái tù yòng
长得真大,他高兴极了。小白兔用

zuì dà de yí gè luó bo zuò chéng yì jiān fáng zi
最大的一个萝卜做成一间房子,

zài fáng zi shàng kāi le gè chuāng hu jiù zhù le
在房子上开了个窗户,就住了

jìn qù
进去。

dōng tiān dào le hū hū de běi fēng cóng chuāng
冬天到了,呼呼的北风从窗

kǒu chuī jìn lái hǎo lěng a xiǎo bái tù xiǎng zhǎo
口吹进来,好冷啊!小白兔想,找

kuài bō li ān shàng jiù hǎo le tā zǒu chū wū zi
块玻璃安上就好了。他走出屋子,

lái dào hé biān kàn jiàn hé shuǐ jié le yì céng bīng
来到河边,看见河水结了一层冰,

xiàng bō li yí yàng xiǎo bái tù xiǎo xīn de qiāo le
玻璃一样。小白兔小心地敲了

yí kuài ná huí jiā bǎ tā ān zài chuāng hu shàng
一块拿回家，把它安在窗户上。

fēng chuī bú jìn lái wū zi lǐ bù lěng le xiǎo bái
风吹不进来，屋子里不冷了，小白

tù shū shu fú fu de shuì zài lǐ miàn
兔舒舒服服地睡在里面。

dì èr tiān tài yáng chū lái le xiǎo bái tù
第二天，太阳出来了，小白兔

zuò zài chuāng hu xià shài tài yáng yī huìr shuǐ
坐在窗户下晒太阳。一会儿，水

yì dī yì dī de dī zài xiǎo bái tù de ěr duo
一滴一滴地滴在小白兔的耳朵

shàng xiǎo bái tù tái tóu yí kàn yí bō li bú
上。小白兔抬头一看，咦，玻璃不

jiàn le
见了！

爱笑的小蚕豆

王屹立

有颗小蚕豆，特别爱笑。

一个穿开裆裤的小男孩经过它的身边，红通通的小屁股露在外面，就像小脸蛋。小蚕豆见了哈哈地笑个不停。小男孩连忙用手捂住了小屁股说："不许偷看！"小蚕豆把小嘴一翘说："哼，我早就看见了，有什么好看的。"小男孩红着脸跑了。小蚕豆在他身后一边笑一边唱："小男孩，羞羞羞，屁股露在裤外头。"

小蚕豆来到河边，把一只正在岸边捉虫子吃的小青蛙吓得跳到了荷叶上。小蚕豆见了又哈哈大笑，一边笑一边唱："小青蛙，胆子小，见了蚕豆就要跑。"小青蛙生气了，从荷叶上一个跟斗跳进水里，找自己的同伴去了。而小蚕豆还在岸上笑个不停。

小蚕豆一直笑，一直笑，突然怎么也停不下来，终于笑破了肚皮。这下它再也笑不出来了，哇哇地哭了起来。

河里的小青蛙听见了，跑去找穿开裆裤的小男孩。小男孩一听，跑去把戴眼镜的老奶奶搀了过来。老奶奶拿出针线，仔仔细细地把小蚕豆的肚子给缝上了。小蚕豆不哭了，它又开始笑了。它对小男孩、小青蛙和老奶奶说："谢谢你们，我以后再也不取笑别人了。"

从此，小蚕豆圆鼓鼓的肚子上就有了一道疤痕。

编　　后

　　本书是配合统编义务教育教科书语文一年级上册选编的，供学生课外阅读用。选编本书的目的是扩大学生阅读量，丰富知识，巩固汉字，提高阅读能力。

　　本书选入 80 篇文章，包括儿歌、童谣和散文，共分为 8 组，与教科书各单元主题有一定的联系。教师、家长可指导学生配合课内教学，同步阅读。

　　本书从多种渠道选材，有些文章的作者姓名、地址不详，无法署名。恳请入选文章的作者与我们联系，以便作出妥善处理。

　　本书编者陈先云、魏航，责任编辑魏航。

人民教育出版社 课程教材研究所
小学语文课程教材研究开发中心
2017 年 7 月